In dem neuen Theaterstück von Volker Braun lädt Pavel, ein Tscheche, zwei gegensätzliche Freunde, den Russen Michail und den Amerikaner Bardolph, in sein Refugium am Meer ein. Mit der Einladung an beide, die er herzlich haßt, verbindet er die Absicht: »Wir haben uns genug gestritten: jetzt sollen *sie* das tun; und sich selber widerlegen beide, indem ich beide liebe.« Volker Braun begann mit der Niederschrift des Stückes im September 1989, und die sich bewegende Geschichte regierte in das Treffen dieser Personen hinein und wollte Recht und Unrecht neu verteilen, hat jedoch auch den Kern des gemeinsamen Verhängnisses, das der Menschheit in ihrem Umgang mit der Natur droht, klarer herausgestellt. In dieser Weise ist ein heiteres Trauerspiel entstanden, dessen Figuren an der Pest unseres Jahrhunderts, der Ideologie, leiden und sich schmerzlich zu versöhnen suchen.

Volker Braun
Böhmen am Meer

Ein Stück

Suhrkamp

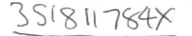

35181178 4X   C

edition suhrkamp 1784
Neue Folge Band 784
Erste Auflage 1992
© Suhrkamp Verlag Frankfurt am Main 1992
Erstausgabe

Satz: Otto Gutfreund, Darmstadt
Druck: Nomos Verlagsgesellschaft, Baden-Baden
Umschlagentwurf: Willy Fleckhaus
Printed in Germany

1 2 3 4 5 6 – 97 96 95 94 93 92

1000017409

Böhmen am Meer

Personen

Badegäste · Bardolph, Industrieller · Michail, Journalist · Pavel, Emigrant · Vaclav, Halbwüchsiger · Ein Flittchen · Julia, Pavels Frau · Assia, Haushälterin · Raja, Michails Tochter · Robert, Physikstudent
Dunkle Gestalten

Bühnenentwurf von Volker Pfüller

Küstenort. Abreisende Badegäste auf der Flucht.

EIN MANN Vernunft, Vernunft. Kommen Sie doch nicht mit der Vernunft. Vernunft braucht Gründe, Gründe gibt es für alles.

ZWEITER MANN Aber keinen vernünftigen, der alles rechtfertigt.

ERSTER MANN Das sage ich ja, das habe ich eben begründet.

ZWEITER MANN Dann erregen Sie sich nicht grundlos.

ERSTER MANN Die Vernunft –

DRITTER MANN Laufen Sie doch!

EINE FRAU Hier ist das Chaos.

VIERTER MANN Das Chaos ist die Summe der Vernunft.

DRITTER MANN Ziehen Sie ab. Ziehen Sie sich ab, Sie Tor.

VIERTER MANN Ich ein Tor?

DRITTER MANN Ein Tourist.

VIERTER MANN Wie Sie.

DRITTER MANN Ein törichter Tourist: dem man jede Summe

FÜNFTER MANN Kann ich etwas für Sie tun, Madame.

ZWEITE FRAU Nichts, was ich nicht selber könnte.

FÜNFTER MANN O, Sie beschämen mich... Es gibt Dinge, die man gemeinsam tut.

ZWEITE FRAU Falls man von Tuten und Blasen eine Ahnung

EIN ZWITTER Schamlose Person.

FÜNFTER MANN Eine Ahnung schon, eine leise Ahnung, Madame –

VIERTER MANN Die Politik ist das Chaos.

ERSTER MANN Die Anarchie der Vernunft!

SECHSTER MANN Noch nie, gestatten Sie, hat sich die Realität

DRITTE FRAU Wovon sprechen Sie?

VIERTE FRAU Ich habe mein Plaid vergessen.

SECHSTER MANN die Realität so rapid

ZWEITE FRAU Küssen Sie mich!

SECHSTER MANN verändert.

Der Platz ist plötzlich wie leergefegt. Bardolph, der sich aus der Gegenrichtung durch die Menge kämpfte, steht mit einem großen Koffer da und schaut vergeblich nach einem Träger aus. Michail, mit nur leichtem Gepäck und Packen von Zeitungen, verharrt ihm gegenüber in dem gleißenden Licht.

BARDOLPH Ich träume wohl. Eine leere Welt.

MICHAIL   Nein, die Natur, sehen Sie doch die Natur.

BARDOLPH   Und die Menschheit ist verschwunden.

MICHAIL   Gottseidank. – Was geht hier vor?

BARDOLPH   *lacht:* Es ist vorüber. Vorbei, mit uns. Das Verschwinden der Gattung in der Hitze des Gefechts der Hemisphären.

MICHAIL   Ein Rudel Hunde noch.

BARDOLPH   *verängstigt:* Verschwinden wir auch.

MICHAIL   *faßt Bardolphs Koffer:* Sie sind Amerikaner?

BARDOLPH   Dann sind Sie der Russe.
Sie mustern sich überrascht. Michail ist ein fetter schwitzender Kerl, Bardolph, dunkelhäutig, ein Chicano vielleicht, von einer Krankheit zerrüttet.

MICHAIL   Wie herbestellt.

BARDOLPH   Freilich herbestellt. Von einem Tschechen, wie.

MICHAIL   Well, Sir, von einem lieben Tschechen.
Sie schaun den Kötern nach. Eine dunkle Gestalt schnappt den Koffer, verschwindet unbemerkt.

BARDOLPH   In die Sommerfrische.

MICHAIL   Ans Meer!

BARDOLPH   Ganz entmenschter Platz.

MICHAIL   Entvölkerter, Sir.

BARDOLPH Fantastisch. Genießen wir es. Die
Alternative.

MICHAIL Die Alternative wozu?

BARDOLPH Zu uns –.

*Eine andere dunkle Gestalt (Assia) stellt den
Koffer wieder ab.*

MICHAIL Man erwartet uns.

BARDOLPH *kühl:* Packen wirs an.

*Suchen / sehen den Koffer, tragen ihn zu zweit:
er ist nun leicht.*

2

*Vor Pavels Haus. Pavel: ein sonnengebräunter,
selbstgewisser Mann. Vaclav: dunkelhäutig, ein
Halbstarker. Ein Flittchen, sitzt abseits auf einer
Reckstange.*

PAVEL Folgendes: hier in mein Haus kommen
zwei Gäste, die sich nicht kennen, aber beide
meine Freunde sind, aber einander feind sind,
wenn sie sich erst kennen.

VACLAV Steil.

PAVEL Sie kommen aus zwei Welten, die freilich
eine sind, die aber unversöhnlich sind, wenn jedem nur die seine gilt, verbohrt, vernarrt, und
nichts die andre.

VACLAV Perfid.

PAVEL Der eine, Michail, mein Freund aus Ruß-
land, hat uns noch in Prag besucht: 68, als wir
Prag verließen. Du warst noch nicht geboren.
Den andern, Bardolph, kenn ich geschäftlich:
ich hab ihm vor – wie alt bist du? – fünfzehn
Jahren die Fabrik entworfen.

VACLAV Steil.

PAVEL Nun weiter: Bardolph ist bankrott und
krank und lebensmüde. Für Mischa bricht die
Welt zusammen, seine verliebte Tochter ist
ausgereist. Dein Vater, ich, wohlinformiert von
beiden, lädt beide ein, die er herzlich haßt. Wir
haben uns genug gestritten: jetzt sollen s i e das
tun; und sich selber widerlegen beide, indem
ich beide liebe.

VACLAV Perfid.

PAVEL Das ist ein kleiner Stern, der verlöschen
kann, und wir verstehn uns nicht? Wir nehmen
uns nicht wahr. Hier in dem Licht. Hier wollen wir uns sehn. Hier zeige ich mein Leben.

VACLAV Steil.

PAVEL Und deine Rolle nun, mein Sohn – mein
Sohn: *drückt ihn an sich, nimmt ihm das Gewehr
weg.* Sitz nicht in der Sonne, du wirst ein Ne-
ger... Respektier einmal die Ordnung hier.
Schick das Flittchen fort.
Das Flittchen macht einen Knieumschwung.

Sie ist krank. – Todkrank.

VACLAV Perfid.

Vaclav und das Flittchen halten sich am Finger.

PAVEL Hast du mit ihr geschlafen.

Vaclav verneint.

Ich will sie nicht mehr sehn. Nie mehr im Leben.

Vaclav verjagt das Flittchen. Pavel verharrt allein.

Verdirb mir nicht das Spiel.

KLASSISCHE MUSIK.

Jetzt bin ich fünfzig, ein gemachter Mann.
Ich habe alles: aber keine Freunde.
Ein Baum, der aus dem Wald lief
Auf die nackte Klippe unfreiwillig –
Er steht lächelnd, gierig atmend. Breitet die Arme, umfaßt sich. In der Ferne Schüsse. Eine Stimme: Herr, ich bitte Euch und Euer Gefolge in meine ärmliche Zelle, wo Ihr Euch zur Ruhe legen sollt für diese Nacht. Ich werde sie zum Teil mit solchen Erzählungen verkürzen, daß sie gewiß im Flug vergehen wird: mit der Geschichte meines Lebens und den verschiedenen Ereignissen, die geschehen sind, seitdem ich auf dieser Insel landete. Am Morgen bringe ich Euch zu Eurem Schiff; und dann auf nach

Neapel, wo ich zu erleben hoffe, wie die Vermählung unseres innig geliebten Paares feierlich begangen wird. Von dort ziehe ich mich dann nach Prag zurück, wo jeder dritte Gedanke mein Grab sei. *Vaclav.*
Bist du die Hauptperson.
Nimmt ihn zärtlich mit vom Platz.

3

Julia, Pavel, sehen unter einem Sonnensegel hinaus ins lichtdurchflutete Freie.

PAVEL
Dort stehen sie, ich hab sie stehngelassen
Und schwitzen vor Verlegenheit. Sie sehn aus
Wie zugeführt.
JULIA
Die beiden auf einmal.
PAVEL
Bardolph und Mischa, ja. Das ist ein Aufwasch.
JULIA
Du willst ins Reine kommen, wie, mein Pavel.
PAVEL
Mit ihnen.
JULIA
Mit dir.

PAVEL

Hast du sie angesehn.
Die Schatten ihrer selbst.

JULIA

Ein dicker Schatten
Und ein zitternder. Das schöne Licht
Macht sie ganz matt.

PAVEL

Die richtige Beleuchtung
Für das Verhör. Sie diskutieren schon.

JULIA

Ich hatte nicht gedacht, daß die sich hertraun.

PAVEL

Die Sonne ist das Lampenlicht: gesteht.
Gesteht. Gesteht. – Was sagtest du.
Hebt das Segel: das Licht trifft Julias Augen.

JULIA

Daß sie sich hertraun –

PAVEL

Zu mir. Oder zu dir.

JULIA

Wenn dus erträgst –

PAVEL

Dir kann nichts mehr geschehen, nicht zwei-
mal
Fällt man in denselben Fluß.

JULIA

Was meinst du.

PAVEL   Ich meine, du mußt nicht aufgeregt sein.
Es sind ausgetrocknete Flußbetten.

JULIA
Ich werde ihnen Limonade

PAVEL
Du
Bist eine, die es jedesmal erwischt.

JULIA
Oder Wasser.

PAVEL
Beim ersten Anblick, aber
Dann ist es ausgestanden. Dieses Wasser
wischt ihr die Augen
Mußt du ihnen nicht bringen. Limonade.
Umarmen sich.

JULIA
Entschuldige. Ich freue mich für d i c h.

PAVEL
Du hast zu mir gehalten, ja. Das Meer
Zu seiner Küste. Wenn kein Sturm war –
*Ein Windstoß im Sonnensegel. Assia: eine Ara-
berin.*

JULIA
Wolln wir im Freien tafeln, bei dem Wind.

PAVEL
Ein Festmahl, Assia, unter den Bäumen
Daß sie gaffen sollen.

JULIA

Ich sagte, bei dem Wind?

PAVEL

Wir werden ihn beschwichtigen. Du wirst es
Julia. Still, Lüftchen, weggeblasner Haß.
Er küßt sie. Windstille.
Wir wollen ihnen eine Küste zeigen
Der Freundlichkeit. Eine glückliche Insel
Auf der sie sicher sind.

JULIA

Vor dir, oder
Windstoß.

PAVEL

Vor sich. Sie laufen weg. Begrüße sie.
Julia eilt hinaus.
Ein Festmahl, Assia, im Freien, hier.
*Er tanzt plötzlich wild mit der Alten, läßt sie
dann wie abwesend los.*

ASSIA Ein Festmahl.

Pavel prallt unter dem Segel auf Julia.

JULIA Wo bleibst du, Pavel.

*Zieht ihn hinaus, bleibt zurück. Assia hat ein
Huhn in der Hand, schlägt ihm mit einem
Messer den Kopf ab. Das Blut fließt auf den
Boden. Ein Schuß.*
– Sie reden kein Wort.
*Sie lauscht verzweifelt. Drückt dann das Segel
hoch. Im Gegenlicht Pavel, Bardolph und Mi-*

chail, bewegen sich langsam umher, ohne sich anzusehen. Julia läuft hinaus. Die Männer wischen sich den Schweiß ab.

Ist es heiß hier, Misters.

BARDOLPH Uns kalten Kriegern, wie.

MICHAIL In dem Frieden hier.

PAVEL Böhmen am Meer.

JULIA Die Limonade!

Eilt hinein: und mit Getränken hinaus. Bardolph hebt nach einer Weile den Koffer an, öffnet ihn entschlossen.

BARDOLPH Es ist nichts darin. Er ist leer, nichtwahr.

MICHAIL Tatsache.

PAVEL Dein Koffer?

BARDOLPH Er ist leicht. Die Geschenke. Deine Kleider!

Julia faßt Bardolph waghalsig, ganz vertraulich an. Assia springt auf.

ASSIA Was für Wasserwesen.

Raja und Robert. Raja reißt ihm, mit einer kleinen brutalen Geste, die Tasche vom Arm: den er verlegen grüßend hebt. Sie trägt einen Badeanzug, Haut und Haar sind glitschig grün verklebt: wie Roberts Füße.

ROBERT Robert und Raja.

PAVEL Raja? Deine Tochter Raja?

JULIA Sie sind auch gekommen –.

PAVEL Umarmt sie.

RAJA Wnimanje. Vorsicht, Signor.

Man starrt sie an.

MICHAIL Wie sieht sie denn aus. Bist du es, Raja.

ASSIA – Wie eine grüne Echse.

RAJA Wie eine Hexe. Das geht nicht mehr ab!
Reibt lachend ihre Haut.

JULIA Sie ist ins Meer gegangen. Sie hat gebadet hier. Sie weiß nicht, daß die Algenpest – Die Urlauber sind alle abgereist.

RAJA Die Pest?

PAVEL Die Algenpest. Die Küste ist verseucht.

JULIA Das kriegst du nicht mehr runter.

ROBERT Dein westliches Kostüm. Ja, ohne Anprobe, das ist ein Risiko.
Raja stürzen Tränen ins Gesicht.

BARDOLPH Faßt euch nicht an. Ihr kriegt euch nicht mehr los.
Raja winkt zornig ab: und lacht wieder.

JULIA Kommt hier herein.
Raja geht, ohne sich nach Robert umzusehn. Er folgt, die Füße vom Boden reißend.

ROBERT Das Risiko... das Risiko ist das Verhältnis... mit der Zukunft. – Haben Sie das gebaut.
Pavel zeigt rundum.
Ein Haus zum Leben.

PAVEL *glücklich:* Zum Sterben.

MICHAIL   An den Strand. Sehn wir das Unglück
an.
Julia und Assia bleiben erheitert stehen.

4

Verdreckter Strand. Pavel. Bardolph. Michail, mit
den flatternden Zeitungen beschäftigt.

BARDOLPH   Der schönste Strand in Böhmen, wie.
PAVEL   Der beliebteste.
MICHAIL   Der verlassenste.
BARDOLPH   Ja, wenn es einem so dreckig geht.
MICHAIL   Eine Katastrophe.
BARDOLPH   Das seh ich gern.
PAVEL   Warum, du Idiot.
BARDOLPH   Die Katastrophe ist der Lichtblick,
der Ausblick. Der zugespitzte Zustand, die aus-
gepackte Entwicklung, die Eingeweide des Wi-
derspruchs, das Verhängnis pur. Wir sind am
Ziel, Pavel. Michail.
MICHAIL   Wie, wie?
BARDOLPH   War das Ihre Tochter?
MICHAIL   Ja. Mein Kind.
BARDOLPH   Muß es in der Pfütze spielen. Das
grüne Ding. Bevor das Meer sich gewaschen hat.
MICHAIL   Und ein verdammter Deutscher.

PAVEL   Der Physikstudent. Ist sie dir nachgereist?

MICHAIL   Nachgereist? Sie ist ausgereist, mit ihm. Hast du sie eingeladen?

PAVEL   Eingeladen? Vorgeladen, wie.

MICHAIL   Wie, nicht? *Macht eine wirre Geste.*

BARDOLPH   Die einzige Adresse, hier am Meer.

MICHAIL   Weil er vielleicht – Roberts Vater ist?
Bardolph lacht, hebt die Arme..

PAVEL   Sind wir auf dem Theater.

MICHAIL   Unerklärlich.
Zwei dunkle Gestalten queren unbemerkt den Strand.

BARDOLPH   Das ist die Dramaturgie der Welt.
Michail liest wütend in den Zeitungen.
Warum schleppen Sie diese Zeitungen mit.

MICHAIL   Ich hab sie nicht gelesen, obwohl ich ganz rasch ... und was ich durch habe, werfe ich immer gleich ... Wahnsinniges Papier.

BARDOLPH   Sie sind süchtig, Michail.

MICHAIL   Ich fresse es geradezu. Ich giere danach. Kein Blick aus dem Zugabteil, ich bin über die Alpen gefahren vermutlich, der Gardasee, ich las einen Artikel über ... ich muß das Zeug loswerden. Es passiert zu viel.

PAVEL   Was passiert?

MICHAIL   Die Geschichte stand still. Fünfzig Jahre einunddasselbe Lied – VATERLAND KEIN FEIND SOLL DICH ... Es gibt keinen Feind mehr. Jetzt ist das Vaterland verloren. Jetzt geht es vorwärts. Jeden Tag eine andere Welt. Ich höre früh um sechs die ersten Nachrichten, und nachts die letzten. Ich bin vollgepumpt. Wieviel Geschichte erträgt der Mensch am Tag.

PAVEL Atme durch. Du mußt dich erholen. Welche Welt.

MICHAIL »Wir brauchen die Demokratie wie die Luft zum Atmen.« *Läuft an das Meer.*

BARDOLPH Ein Irrer.

PAVEL – Du siehst schlecht aus, Bardolph.

BARDOLPH Ich bin ein Wrack, zugegebnermaßen. Durchblutungsstörungen. Ich kann meine organischen Prozesse nur noch mit Willenskraft aufrechterhalten. Die Fortbewegung eine strategische Leistung meines Zentralnervensystems. Ich stehe vor dem Bankrott, wenn ich nicht ein neues Leben beginne.

PAVEL Ein neues Leben.

BARDOLPH Ich habe den Kampf gegen meine Unnatur verloren. Raubbau. Ich habe über meine Kosten gelebt. Unser bequemer, bewußtloser Lebensstil. Ich bin ein Vampir, ein blutsaufender Ausbeuter. Neun Zehntel der Menschheit hungert, damit ich jetten kann.

PAVEL Das ist eine erbarmungswürdige Diagnose.

BARDOLPH   Gestrandet, nichtwahr. Verdreckt. Es ist die Pest. Wir müssen umkehren, meine Teilhaber. *Ruft:* Umkehren.

MICHAIL   *kommt zurück:* Wie, wie?

BARDOLPH   Wie, auf unseren Füßen. Auf allen Vieren. Wie die arglosen Kinder. *Fällt auf die Hände.* Besser ist Aufhören als Überfüllen, sagt Laudse. Das interessiert Sie erst, wenn es in der Zeitung steht.

MICHAIL   Stehen Sie auf!

BARDOLPH   O nein. Das ist die würdigste Haltung, auf dem Boden der Tatsachen. Ich danke dir, Pavel, für die Vorladung. Wenn wir hier zusammenkommen, dann nicht für das END-GÜLTIGE PROJEKT, sondern um es zu beenden. *Wühlt sich in die Algen.* Das habe ich gemacht.

MICHAIL   Ein Irrer.

PAVEL   Die Gülle von Parma. Sie kommt den Po herab. Parmaschinken!

MICHAIL   Die Tatsachen. *Läßt die Zeitungen flattern.* Ein Leben lang haben wir uns nach den Tatsachen – wir hatten die Tatsachen zur Kenntnis zu nehmen. *Verzweifelt:* Aber daß es auch anders geht... Daß die Tatsachen uns – Daß wir eine Tatsache sind! Es gibt eine andere Welt *an die Stirn,* eine Welt dahinter. Eine Welt ohne Waffen.

BARDOLPH O ja.

MICHAIL Ohne Gewalt.

Bardolph und Michail sehen sich plötzlich an.

PAVEL *lacht:* Der Hunger, der Hunger ist die Gewalt. Die Hungerrevolten, die ins Haus stehn. Man braucht ein Gewehr. Die Verteilungskriege, wenn der Tisch gedeckt wird.

BARDOLPH Wenn dein Tisch gedeckt wird.

Er lacht mit. Schweigen. Zu Michail:

Die Hoffnung genügt nicht. Die Verzweiflung muß hinzutreten, sie muß zu ihr treten und sie umarmen.

Er umarmt ihn.

PAVEL Nun, und? Was wird daraus.

BARDOLPH Die Utopie.

Michail und Bardolph lassen sich los, berühren sich wieder sacht.

PAVEL Was soll die Furcht. Es ist das Meer, das vor uns zittert. Vasco da Gama.

MICHAIL Die Angst muß von der Erde verschwinden. GORBATSCHOW.

Er nimmt eine Flasche aus dem Mantel. Pavel steht wie verlassen. Er weint. Auftritt Vaclav. Bardolph fährt sich über die Augen. Michail gewahrt betroffen beider Ähnlichkeit.

5

Vor dem Haus: Julia und Vaclav breiten, mit dem leichten Wind kämpfend, ein Tuch auf den großen Tisch. Assia kommt helfend hinzu. Michail abseits. Julias geübte Stimme.

BEIM STREIT UM EINEN PAPIERDRA-CHEN, DER KINDERN ENTFLOGEN WAR, WURDEN IN BEIRUT DREI MEN-SCHEN GETÖTET UND DREI VERLETZT. ZU DER AUSEINANDERSETZUNG KAM ES ZWISCHEN DEM VATER DER KIN-DER UND EINEM AUTOFAHRER, DER DEN DRACHEN FÜR SEINE IM WAGEN SITZENDEN KINDER BEANSPRUCHTE. UNBEKANNTE MIT AUTOMATISCHEN WAFFEN SCHRITTEN EIN, UM DEN KAMPF ZU SCHLICHTEN, WOBEI SICH EINE SALVE AUS EINER DER WAFFEN LÖSTE. ZU DEN TOTEN GEHÖRTEN BEIDE VÄTER.

VACLAV *zum Wind:* Perfid.
ASSIA Hol Steine.
  Sie befestigen das Tuch.

MICHAIL   Es ist nicht mein Sohn.
Er lacht dumpf und dumm, geht ab. Julia und
Assia ins Haus. Robert. Raja, ein weißes Kleid
über der zerschrubbten Haut. Vaclav auf das
Reck.

ROBERT
Jetzt bist du in der Freiheit. Oder mein.
Oder ich weiß nicht, was dein Herz bezweckt.

RAJA
Ich hab es nicht nach seinem Zweck gefragt.

ROBERT
Ach, darum spricht es nicht.
Sie lachen eine Weile herum.

RAJA
Sagtest du Zweck.
Der ZWECK DER REISE. Formulieren Sie
Präzis und eidesstattlich, LESERLICH
Wohin die Reise geht.

ROBERT
Dem Wunsch gemäß
Nach Süden. NICHT OSTEN UND NICHT
   WESTEN
EIN WARMES LAND! Warum bist du so kalt.

RAJA
Bin ich das.

ROBERT
Ich hab um dich gekämpft
Mit den Behörden, mein ich, Monate

Um deine Hand anhaltend bei der moskauer
Bürokratie, Bürgerin, um dich auszuführn
Über die Grenze.

RAJA

Besten Dank, mein Herr.

ROBERT

Und meine Frau.

RAJA

So ist es ausgemacht.

ROBERT Willst du sagen, es war ein Vorwand.

RAJA Ein Aufwand. Ein Aufwand. Aber genug
der Formalitäten.

Sie läßt ihm ihre Hand. Er nimmt sie verwirrt.

ROBERT Wir haben geheiratet, Raja Michaj-
lowna... »er heiratete na moskowskaja krasa-
wiza«, auf einer moskauer Schönheit – auf,
sagt man –

RAJA Auf und ab – *wie ihre Hand,* Robert, Kan-
didat der Wissenschaft und Träger

ROBERT des Risikos –

RAJA *schweigt belustigt, dann:*

Ich sage nur: du hattest leichtes Spiel.
Ein junger Mann aus besserem Land, wie.
Der seinen Vorteil wahrnahm bei der armen
Ostlerin, der Retter aus dem Westen.
In den Spendierhosen auf dem Arbat.
MEIN SCHÖNES FRÄULEIN DARF ICH
WAGEN

MEINEN ARM UND PASS IHR ANZU-
   TRAGEN.
Der klassische Liebhaber und die sentimentale
Ausreisende. Achgehmirwegdu. Er
Hat nur meine Lage ausgenutzt
Weil ich den Antrag mach ... bei der Miliz
Mit ihm zu gehn.
ROBERT
   Den Antrag deines Herzens.
   Er faßt sie gewaltsam.
RAJA
   Bei der Miliz, eine Kriminelle
   Wenn ihrs nicht ernst ist mit ihm, dem Auslän-
      der
   Jetzt muß ers sein. Sie ist geil auf die Welt.
   Die er ihr verspricht, oder war das zuviel
   Versprochen. Zeig sie mir. Ein Mann VON WELT
   Wo hast du sie. Hier hier hier
   er läßt sie los.
   Und er läßt sich drauf ein weil sie drauf aus ist.
   Mit nassen Augen in die weiße Ehe
   Und eh die trocken sind, sind sie getrennt.
   Was hast du denn gedacht. Daß du gemeint bist?
   So absichtslos geht Liebe nicht zu Werke
   Und aus Berechnung fährt sie auf den ab
   Die Hure, das kennt man.
ROBERT
   Das lügst du, Raja.

RAJA

Ja, und man glaubt es. Jeder glaubt es, ich
Und du. Wir sind in Zeitungen gebannt
läuft durch die herumliegenden Blätter.
Und all die Worte reden uns dazwischen
Und lügen auf den Lippen. Meine Liebschaft
ER LÜGT BEI MIR. WIR LÜGEN BEIEIN-
ANDER
AUF EINER BREITEN LÜGE. Und die
Angst
Gibt ihnen recht, und deine, daß wir falsch sind.

ROBERT

Ja, meine Lügenschaft.

RAJA

Rühr mich nicht an.
Ich will dich sehen ohne die Welt.
Ich will dich nicht mehr in der Welt sehn.
Vaclav turnt.

ROBERT — Darf ich dich etwas fragen?

RAJA Ja.

ROBERT Raja. Liebst du mich?

RAJA Ich weiß es nicht.

*Er betrachtet die Bißmale an seinem Leib. Sie
sieht Vaclav zu.*

ROBERT Was hast du dann mit mir gemacht.
ICH WEISS ES NICHT. ICH WEISS ES
NICHT.
Der Wind weht die Zeitungen zuhauf.

RAJA Wir müssen uns trennen.

Schwingt am Reck. Vaclav rennt davon. Sie läßt sich langsam zuboden, geht ab. Robert läuft blindlings Julia in den Weg, die nicht ausweicht. Er taumelt nach vorn.

ROBERT Ich muß das begreifen. Ich werde toll. Wie war das: hat sie mir erst gesagt, daß sie mich liebt? Oder zuerst – daß ich ihr helfe AUSZUREISEN. In der Mensa auf den Leninbergen. Wovon sprachen wir. Im Gorkipark. Was kam zuerst? Liebte sie mich dafür, oder davor. Ich kann mich nicht entsinnen. *Lächelnd / ernst / lächelnd:* Erst, oder, erst. Wann war es ernst: als es ein Spiel war? Als ich bereit war, sie HERAUSZUHOLEN. Es sollte mir ein Vergnügen sein... aber sie liebte mich rasend. So kann man nicht lügen, wie sie liebte. So schnell kann sich das Herz nicht umbesinnen. Oder doch. Doch, oder, doch. – Das Schönste und Entsetzlichste zugleich. Alles mit ihr. *Lacht stumm, dann kalt:* Jetzt liebe ich sie. Ich liebe sie erst jetzt. Mit allen Poren, es zerreißt mir den Leib.

JULIA *tritt einen Schritt vor:* Was lächeln Sie, Robert?

ROBERT *faßt sich ins Gesicht:* Das ist noch mein Gesicht. Es begreift nichts. So war es erst. – Sie ist aus dem Land, und ich bin darin. Verstehn Sie?

In der UNFREIHEIT. In den ELENDEN
VERHÄLTNISSEN. Unter der SCHRECK-
LICHEN MACHT. In dieser Heimat, die die
Liebe ist.
Julia wendet sich betört ab.
Wer holt jetzt mich heraus.
Hinten Pavel, wachen Blicks. Windstoß.

6

Michail, Bardolph, stehen lange in der Sonne.

MICHAIL Du warst mit Julia – schon vertraut.
BARDOLPH Schon: was sagt das schon. Ich w a r.
MICHAIL Ich war es auch. Und schon vor dir.
BARDOLPH Das ist schon nicht mehr wahr.
   Sie tupfen einander den Schweiß von der Stirn.
   Schweigen.
   Es gibt keine ewigen Wahrheiten.
MICHAIL Weil wir sie verlassen. Weil wir die
   Wahrheit nicht ertragen können.
   Pavel.
BARDOLPH Soll sie sich zeigen. Und wenn sie
   mit Messern schneidet.
   Ein Schuß. Pavel geht ab. Vaclav.
   Sie sieht aus wie wir.
MICHAIL Immer haben wir geglaubt, daß es nur

eine *lacht* ... nur eine Wahrheit gibt. Das heißt daß es nur uns gibt, und – *Schweigt.* Die Kraft unserer Idee ... ist die Einbildungskraft. Sie erlaubt uns, an die Sache zu glauben, wenn draußen, in der Wirklichkeit, ihr schon gar nichts mehr entspricht.

BARDOLPH *zu Vaclav:* Kennst du deinen Vater?

VACLAV Manchmal ja, manchmal nein.

Er sieht Bardolph verdutzt ins Gesicht, weicht zurück. Raja, fliegt auf Michail zu, umarmt ihn. Vaclav verschwindet, Raja ins Haus.

MICHAIL Mein Kind. Mein liebes Kind. Sie ist hierhergefahren ... es war ihr erster Weg. Zu mir. Ich hab ihr schon verziehen. Ich habe ... nur das eine. Ich werde nichts mehr gegen die Wahrheit tun, daß es ihr Leben ist, ihr Glück. Ich mische mich nicht in ihr Glück. Ich werde es nicht ... redigieren. Sie ist mein Herzblatt –

BARDOLPH Und dein Zeitungsblatt ...

MICHAIL Gewiß.

BARDOLPH Weil die PRAWDA ungenießbar ist.

MICHAIL Meine fröhliche Zeitung, meine gute Nachricht, die beste Tatsache, und als sie mit Robert ging, als sie fortging, als sie uns vor die Tatsache –

BARDOLPH Tatsache ist: daß sie den Kerl verläßt.

Michail lacht verblüfft.

S c h o n : sollte ich wohl sagen.

MICHAIL Wie kannst du das denken.

BARDOLPH Es ist die härteste Möglichkeit.

Michail schweigt verwirrt.

Davon geh aus, und rede nicht herum.

MICHAIL Die härteste, o ja –

BARDOLPH Das ist die Wahrheit.

MICHAIL Das heißt: sie hat gar nichts mit ihm. Es ging ihr nicht um ihn.

BARDOLPH Wenn du so willst.

MICHAIL Ich will es nicht. *Tappt an das Haus.*

BARDOLPH Du machst es wahr.

MICHAIL Sie hat sich eingeschlossen.

BARDOLPH EINE WAHRE GESCHICHTE.

MICHAIL Ich sag ihr eins –

BARDOLPH Und das andere weiß sie ja.

MICHAIL – Wenn es wahr wäre, woran sollt ich dann noch glauben. Dann glaub ich nichts mehr. – Ohne ihn kann sie nicht leben, das weiß ich, Bardolph. Was wußten wir schon alles, alles Lüge. – Gegen die Liebe ist kein Argument gewachsen. *Lacht versonnen, dann:* Das geht ihr nicht durch. Der werd ichs zeigen. Sie nimmt den Jungen. Sie nimmt ihn, oder kommt mit mir. Dawai. Paschli.

BARDOLPH Okay. Go on. Bist du fertig, Mann. Sie hat nicht nötig, einem nachzulaufen. Wenn sie ihn liebt. Und von ihm abzuhängen, wie. Ist das ein Leben. Hier zählt wer zahlt; sie soll für ihn zählen. Sie nimmt den Schlucker oder läßt ihn, aber kennt ihren Wert. Ich zeig ihr ihren Wert. *Schreibt einen Scheck aus.* Das ist ihr Wert. Ich vermach ihn ihr. Er ist ihr.

Beide auf das Haus zu, halten einander auf. Vergessen scheinbar ihren Vorsatz. Julia. Sie begegnet den Männern unwillkürlich verschieden: Bardolph zügellos – wie er war. Er geht ab. Michail faßt Julia am Schürzenband, es löst sich.

MICHAIL Eins mußt du mir erklären.

Julia lacht verlegen, wickelt sich in die Schürze. Du warst schwanger, Julia. Hast du – um bei Pavel zu bleiben –

JULIA Nein. *Sie schreit auf.*

MICHAIL Nein.

JULIA Es war Pavels ... Kind. Er hat es mir gegeben. Und für dich, weil du da warst – hab ich es nicht bekommen.

Michail versucht, den Satz zu begreifen. Julia wartet mit entsetzlicher Geduld.

Du hast es mir genommen.

MICHAIL Ich verstehe nicht.

JULIA Nein, nie mehr.

Sie lächelt. Michail sackt auf die Knie.

MICHAIL Und Pavel wußte es?

Bardolph.

JULIA *zu Michail:* Wodka. Du riechst drei Meter gegen den Wind.

BARDOLPH Ja, knien wir vor ihr.

MICHAIL Vor der Wahrheit...

BARDOLPH Wessen Wahrheit.

Pavel auf dem Dach. Er schießt in die Luft, oder auch nicht. Bardolph und Michail kippen lachend in den Sand.

7

Ein Rudel Hunde, schattenhaft. Pavel, Bardolph, Michail, Weinflaschen in den Händen, die sie auf der üppig gedeckten Tafel postieren. Stehen wartend.

MICHAIL Den Wein können wir schon kosten.

BARDOLPH Wir kosten ihn vor. Was meinst du?
Pavel öffnet einige Flaschen.
Wir rühren den Tisch nicht an.

MICHAIL Wir verwüsten ihn nicht.

BARDOLPH Nur der Wind, der Wüstling. Er schmeckt schon alles. Er legt sich hinein.

MICHAIL *riecht:* Und verbreitet das Gerücht.

BARDOLPH Den Geruch, Michail. Du stehst in dem Geruch

PAVEL Ein Trinker zu sein.

MICHAIL Ich höre nicht darauf.

BARDOLPH *singt:*
Das war ne rechte Freude

Als ihn die Mutter schuf.
Ein Kerl wie Samt und Seide.
Nur schade, daß er soff.

PAVEL Ein Russe, ein Amerikaner und ein Tscheche fliegen mit dem Flugzeug und stürzen ab. Sie befinden sich auf einer einsamen Insel. Es kommt eine Horde Kannibalen und setzt einen Kessel auf, jetzt haben wir eine Mahlzeit. Wir halten ein Gericht, gesteht, woher ihr stammt, und wir entscheiden, wen wir fressen. Der Amerikaner sagt: ich komme aus dem freiesten Land der Welt, der führenden Supermacht. Okay, sagen die Kannibalen, mach dich fertig, du kommst in den Kessel. Der Russe: ich komme aus dem ersten Arbeiterstaat, der Heimat aller Werktätigen. Ausziehen, sagen die Kannibalen, fertigmachen für den Kessel. Der Tscheche sagt: ich bin aus Böhmen – da unterbricht ihn ein Freudenschrei, Freundschaft! Solidarität! Er hat uns den Kupferkessel geschickt. Und der Tscheche ist gerettet. *Sie lachen.* Ich leere mein Glas –

MICHAIL O ja.

BARDOLPH Auf unsere Freundschaft. Auf eure Freundschaft.

MICHAIL AUF DIE FREUNDSCHAFT ZWISCHEN DEN VÖLKERN.

PAVEL Sag deinen Leitartikel, deinen Trink-
spruch, Mischa.

BARDOLPH Meine Mitarbeiter. »Compagnons de
misères«. Auf einer Konferenz in Mexico City
sprachen wir über die Lage der Arbeiterklasse.
Wie kleidet sie sich, speist sie, wie bewegt sie
sich über den Erdkreis. Ein Aufstieg in bürger-
liche Höhe, auf die Pisten des Wohlstands, auf
den sonnigen Besitz der Herrschaft, zu den
Gefilden der seligen Kapitalisten. Noch nie in
erlebbarer Frist hat sich das materielle Dasein
so gewandelt.

PAVEL Prost.

BARDOLPH Aber während wir debattierten – und
das Glas erhoben – konnten wir von der Terrasse
des Luxushotels den nahen höchsten Berg des
Landes, den Popocatepetl, wegen des Smogs
nicht mehr sehn.

MICHAIL Genossen. Kumpane. Als bei der
Menschenrechtskonferenz in Leningrad ... die
Anträge verlesen wurden, ging, infolge des
Tumults, die Saalbeleuchtung aus. Wir standen
im Dustern, ohne es aber zu merken, ein An-
walt verlangte die Entmachtung der Partei, immer mehr Menschen strömten auf die Bühne,
eine Frau protestierte gegen die Obdachlosig-
keit, ein Meschete gegen die Verachtung seines
Volkes, man verlas immer neue Resolutionen,

demolierte die Verstärkeranlage, die Debatte schwoll zum Chaos in der absoluten Dunkelheit.

PAVEL Zum Wohl.

MICHAIL Aber diese Dunkelheit, die mögliche Dunkelheit, Bürger, war das beginnende Licht der Freiheit.

Pavel, dann Michail summen SONNENSCHEIN ERHELLT DIE ERDE / DOCH UM MICH IST IMMER NACHT.

PAVEL Das sagt ihr mir. Das sagt ihr jetzt alles. Das redest du öffentlich! In der Zeitung, in den Gassen Rußlands! *Lacht erstickt:* Wegen dieser Gedanken, wegen einem Funken von diesen Gedanken, wegen einer Ahnung – weil wir es nur zu hoffen wagten... mußte ich aus dem Land. Ich mußte das Land verlassen. Pavel und Julia mußten ein Land verlassen. *Weint:* Prag. Ich habe zwanzig Jahre, ich habe mein Leben... ich habe es verloren, meine Zeit. Und nun redet ihr, Russen, schlimmer als wir! Als wir auch nur zu denken wagten! Ihr wollt es leben!

MICHAIL Prost.

BARDOLPH Es lebe die Freiheit.

MICHAIL Es lebe Prag.

BARDOLPH Es lebe die Verständigung und die Frauen.

MICHAIL Die Mütter. Der Schnaps. Die Vernunft.

BARDOLPH Es lebe... die PRAWDA.

MICHAIL Thomas Jefferson, the pursuit of happiness.

BARDOLPH Es lebe der Süße Brei.

PAVEL *außer sich:* Es lebe Julia. Es lebe Julia. Es lebe Julia und Pavel.

Assia, Julia, Vaclav bringen dampfende Schüsseln.

JULIA Du bist betrunken, Pavel.

EINE ALS FRIEDENSRITUAL GEDACHTE BEGEGNUNG ZWEIER EINGEBORENEN-STÄMME IN PAPUA-NEUGUINEA IST IN EINE MEHRERE TAGE DAUERNDE SCHLACHT AUSGEARTET. SIE KOSTETE FÜNF PERSONEN DAS LEBEN, MEHRERE DUTZEND WURDEN VERLETZT. DER AUSEINANDERSETZUNG DER ZWEI-TAUSEND MIT PFEIL UND BOGEN, SPEE-REN UND ÄXTEN UND GEWEHREN VERSEHENEN LEUTE FIELEN ZUDEM ETLICHE HÄUSER, EINE TANKSTELLE UND EINIGE STÜCK VIEH ZUM OPFER. VERURSACHT WURDE ALLES DURCH EI-NEN DISPUT ÜBER DIE ZUBEREITUNG VON SPEISEN.

JULIA Böhmische Küche.

Sie treten an die Tafel.

Speckbohnen und Knödel. Auberginen, Palmenherzen, Kresse. Knoblauch nicht vergessen. Mandarinen und Majoran.

ASSIA Menschenherzen. *Ab.*

PAVEL Wo ist Raja. Wo ist Robert.

JULIA Der Sturm. Eßt, bevor er reinen Tisch macht.

BARDOLPH Ja, wo sind sie.

JULIA Hole sie, Vaclav.

PAVEL Suche sie in der Weltgeschichte. *Hält Vaclav.* Wo sie verlorengingen.

VACLAV Steil.

PAVEL Nichtwahr, Genosse Mischa. Bardolph, Boß. Ihr macht die Geschichte. Ich weiß, wie ihr sie macht.

BARDOLPH Prost, Russe.

PAVEL Ich hab es gesehn. Ich weiß, was los ist. Ihr habt euch nicht geändert, du und er.

VACLAV Perfid.

MICHAIL Pavel. *Zu Julia:* Ist das jetzt ernst?

PAVEL Ja, Kamerad. Es war immer ernst. Du hast den Ernst nicht begriffen.

BARDOLPH Ich auch nicht, muß ich gestehn.

PAVEL Dann muß ichs dir erklären, Jugendfreund. *Faßt Michail:* Du bist in Rajas Zimmer eingedrungen. Gewaltsam, ungerufen. Weil sie... eigene Wege geht. Weil sie »ihr Land verläßt«. »Die Lage ist voll im Griff.« Du bist einmarschiert. *Hebt den Finger:* Mit Panzern, wie. Oder zu Fuß. Mit Macht... mit der Gewohnheit, habe ich recht. Wie 68, wie in Prag. Dann lesen wirs vor Tische. *Zieht eine Zeitung aus dem Hemd.* Du hast den Einmarsch gutgeheißen, noch zehn Jahre später. RUHM UNSEREN PANZERN. DIE HELDEN DES AUGUST.

MICHAIL Gib her.

PAVEL O nein, das wird der Nachwelt aufbewahrt. Das will sie lesen. Was weiß sie denn von dir.

MICHAIL Bedenke, was für eine Zeit es

PAVEL Es war deine Zeit. Und mein Raum. Du Okkupant, in meinen Wänden. Es bleibt in der Familie... der Völker. Du hast auf uns gespien.

JULIA Pavel, schweig!

VACLAV Steil!

PAVEL Du bist ein Verbrecher.

BARDOLPH Das würd ich mir nicht sagen lassen.

PAVEL Nein. Du weißt selber, was du bist. Du ganz gewiß.

BARDOLPH – Jetzt ich. Das Essen wird kalt. *Küßt Julia unverschämt die Hand.*

PAVEL Du bist nicht besser, du Croupier. Du bist ihm nachgestiegen in ihr Zimmer. Das ARME KIND. Du hast es auf sie angelegt... das Geld. Damit sie FREI ist, und entscheiden kann –

BARDOLPH Wo sie bleiben will. All right.

PAVEL Mit Geld machst du alles. Du kaufst dir die Welt.

BARDOLPH Sagen wir: ihr.

PAVEL Ihr – *auf Julia:* oder ihr? Was hast du ihr geboten. Der arbeitslosen... der Rundfunksprecherin. Die Summe, die du mir schuldig warst? Für die Baupläne deiner Dreckfabrik. Du hast den Zaster einbehalten, um ihn Julia – war es so. Julia, die Seele des Geschäfts... aber sie blieb mir treu. Die du erwerben wolltest. Wo ist die Knete, Bankrotteur. Zahl sie mir. Kauf dir meine Freundschaft. Bezahle sie, du Lump.

BARDOLPH Ich liebte Julia.

VACLAV Perfid!

PAVEL Halt dich heraus, mein Sohn. – Was habt ihr produziert. Sprühstoffe für Vietnam.

BARDOLPH Willst du es wissen.

Vaclav rennt davon.

PAVEL Damit der Wald entlaubt wird. BROWN COMPANY MADE IT HAPPEN. THE JUNGLE TURNS LIGHT für die Scharfschützen. Das war dein Geschäft hienieden. Dein irdisches Tun. Du hast mir den Westen verbrannt. *Zu Michail:* Du hast den Sozialismus erschossen. Ihr seid Faschisten. Beide, beide. *Lacht:* Ich hasse euch. Ich hasse euch.

Vaclav, spielt mit dem Gewehr. Bardolph und

Pavel schlagen ihm links rechts ins Gesicht.
Michail, dann Bardolph, dann Julia rasch ab.
Pavel hockt am Boden. Vaclav tritt zu ihm.

8

Es dunkelt. Robert. Raja.

ROBERT
Was willst du sagen. Warum hältst du den
Mund.
Noch eine Lüge.
RAJA
Nein. Die Lüge geht
Leicht von den Lippen.
Wischt sich den Mund.
Aber die Wahrheit.
ROBERT
Du hast sie mir gesagt.
RAJA
Mit falschen Worten.
Küßt ihn.
Das sind die richtigen. Was sagst du jetzt.
ROBERT *speit:*
Jetzt fehlen mir die Worte. Hören Sie.
RAJA
Ich will sehn, was deine Lippen sagen.

Küßt ihn wieder.
Sie reden schön. Ich hör sie gerne reden.
Das letzte Wort nur hab ich nicht verstanden.
Zerbeißt ihm die Lippen. Laufen erregt umher.

ROBERT
Was sind das jetzt für Worte. Sei mal still!
Blut. Du redest was.

RAJA
Wie ichs verstehe.

ROBERT
Bist du mir wieder grün. Hol dich die Pest.

RAJA
Grün, überall grün.

ROBERT
Zeige mir die Zunge.
Du hast dich abgesetzt, mit stolzen Segeln
Von deinem Schlepper. Dreht sich jetzt der
    Wind.

RAJA
Spürst du ihn nicht.

ROBERT Hurrikane haben, wie die Statistik aus-
weist, eine Steigerung der Scheidungsklagen zur
Folge, Mißhandlungen im Familienkreis, post-
traumatischen Streß, vor allem aber Vergewal-
tigungen. Diejenigen, die ohnehin zur Gewalt
neigen, brechen dann völlig aus.

RAJA Ich will bei dir bleiben.

ROBERT Erklär mir das bitte.

RAJA

Weil ich das will sowie nicht anders kann.

Weil ich dich liebe, und dich lieben muß.

ROBERT

Du willst und kannst und mußt. Nur ob du
darfst.

Wenn das kein Grund ist. Du darfst nicht spielen mit mir.

RAJA

Ich hab nur einen Zug. Laß mich ihn tun

kommt zu ihm

Von hier nach da.

ROBERT *weicht aus:*

Was bringt er dir.

RAJA

Er bringt

sie folgt mich in Sicherheit. Sonst verliere ich
glatt, dich.

ROBERT Das ist das Risiko. *Er hält sie versöhnt.*

RAJA Sonst schleppt mich mein Vater nachhause.

Er schweigt verblüfft.

Sonst holt er mich zurück. Warum sagst du
nichts. Denn es sähe aus, als würde ich dich
nicht lieben. Als hätte ich dir etwas vorge-
macht. Genau das könnte er denken. Stell es
dir doch vor: DIE WILL IHN NICHT.
Kannst du das nicht verstehn.

Er lacht verzweifelt.

Was denkst du. *Ängstlich:* Ich liebe dich.
Er lacht.
Ich liebe dich.
Er lacht sie aus.
Sag etwas zu mir.
Er erbricht sich. Windstoß. Raja verschwindet. Julia: umklammert Robert.

ROBERT Raja.

JULIA Julia.

ROBERT Raja.

JULIA Pavel. Mein Lieber. Bist du Pavel.

ROBERT
Sie sehn, daß ichs nicht bin.

JULIA
So denke ichs.
Er ließ mich immer denken was ich will.

ROBERT
Wenn es an ihn ist. Wo denken Sie hin.

JULIA
Du denkst an sie ... An Raja, also mich.
Was fehlt mir denn, daß ichs nicht bin.

ROBERT
Dir, nichts.
Und ihr fehlt auch nichts. Soll sie GLÜCK-
    LICH WERDEN
Wo sie will. Ich bin ihr nicht im Weg.

JULIA
Was für ein Zufall, daß wir uns nicht lieben.

Es ist unglaublich. Glaubst du an Zufälle.

ROBERT Als Wissenschaftler: ja. Einstein sagte: Gott würfelt nicht. Er wußte nichts von Gott. Die Welt ist physikalisch unberechenbar. »Eine gewalttätige Ordnung ist Unordnung. Eine große Unordnung ist Ordnung. Und beides ist eins.«

JULIA

Für die Unordnung war ich stets zu haben.

ROBERT Ich muß Sie warnen. Kleine Handlungen können gigantische Folgen haben. Seit hundert Jahren weiß man, daß die Gleichungen Newtons unlösbar werden, wenn man nicht nur die Bahnen von z w e i Körpern sondern von dreien und mehr in ihrem Verhältnis . . . in ihrem Verhältnis zueinander untersucht. Die geringfügigste Anziehung durch die Schwerkraft eines dritten kann einen Planeten dazu bringen, auf seiner Bahn wie betrunken herumzutorkeln und sogar völlig aus dem Sonnensystem fortzufliegen. Wollen Sie in das Weltall eingreifen.

JULIA Nein, Pavel.

ROBERT Julia. Es gibt einen Begriff für das chaotische Ergebnis der immer gleichen Operation, das sich als eine Wolke von unendlich vielen Punkten darstellt: die Julia-Menge.

JULIA Der immergleichen Operation.

ROBERT Jawohl.

JULIA   Als eine Wolke.

ROBERT   Von unendlich vielen –

JULIA   Eine Wolke. Das ist ein schönes Bild.

ROBERT   Für das Chaos, Julia.

JULIA   *zeigt ihre Brüste:*

Hier ist das Chaos.

ROBERT

WAS SOLL PAVEL SAGEN.

JULIA

Sag etwas, Pavel. Hast du keine Hände.

ROBERT

Raja.

JULIA

Ja. Sie liebt dich. Hast du Furcht.

Das ist mein Leben, überlaß es mir

Geliebter.

ROBERT

Und was bleibt mir übrig, Raja.

Bin ich ein Dreck.

JULIA

Siehst du die Wolke dort.

Pavel vertraut mir, und ich durfte leben.

Wie sie den ganzen Himmel überzieht.

Robert sieht gepeinigt zuboden: während die
Wolke dahinjagt.

Ohne Plan, in einem Augenblick.

Nicht denkend, was draus wird ... und nichts
bedauernd.

Mit jedem bin ich anders und bin ich.

Sonst wär ich tot. Ich lebe ohne ihn.

Das ist entsetzlich, Pavel, das ist gut.

Pavel, was machst du.

Schweigen.

Was soll aus uns werden.

Bardolph und Mischa sind nicht abgereist.

Ruhig: Wenn nicht etwas passiert, gehn wir alle unter.

Robert steht reglos. Herausfordernd:

Was machst du mit mir.

Sturm. Vaclav. Das Flittchen.

VACLAV Das Flittchen. Bleibe stehn.

DAS FLITTCHEN Wer bin ich denn!

VACLAV Das Flittchen. Ich seh dich an der hellen Haut.

DAS FLITTCHEN Wenn ich krank bin, eh!

VACLAV Sie sind alle krank. Sie streiten sich um nichts, um die kaputte Welt.

DAS FLITTCHEN Wenn ich in der Welt bin!

VACLAV Meine Haut ist schwarz. Faß sie an. Wie die von Bardolph. Das ist kein Mensch. Ich will kein Mensch sein. *Vergewaltigung.*

9

*Nacht. Pavel. Bardolph. Michail. Assia, läuft um
die Tafel.*

ASSIA Wollen die Signori nicht doch essen. Es
verdirbt.
*Die Männer treten an den Tisch, vermögen
aber nichts zu sich zu nehmen. Assia geht groß
über den Platz, und noch einmal, und bleibt
stehen.*

PAVEL In der Nähe von Neapel haben sich die
Geschäftsleute bewaffnet, mit Flinten, wegen
der Plünderungen, nachdem ein Wirbelsturm
die Läden zertrümmerte. In Florenz machten
sechzig Maskierte auf Nordafrikaner Jagd. Ein
Marokkaner wurde mit Messerstichen verletzt,
zwei Tunesier mit Baseballschlägern zusam-
mengedroschen. Estracomunitari. Die Passan-
ten applaudierten.

MICHAIL Gibt es Neuigkeiten?

ASSIA Immer noch kein Trinkwasser im unteren
Viertel. Aber ein Stadion bauen sie.

BARDOLPH Es handelt sich um die ganz ge-
wöhnliche menschliche Dummheit, Trägheit,
Gier.

PAVEL Herrschen ist besser als ficken, sagen die Sizilianer.

Drei dunkle Gestalten verharren hinten. Pavel gibt ihnen geistesabwesend Zuckerstücke ins Maul. Assia scheint ihnen ein Zeichen zu machen, sie ziehen ab.

Eine Sturmflut ist angesagt.

MICHAIL Übrigens, was nützt mir meine Einsicht. Ich bin politisch geliefert. Chefredakteur seit zwanzig Jahren. Ich kann nun denken, was ich will, ich habe kein Recht zur WENDE. Ich habe das Recht verwirkt. Wie die Partei: sie kann sich auf den Kopf stellen, ihr gibt keiner einen roten Heller. Das ist wie Dreck auf der Haut. Die Ideologie. Die Pest der Geschichte. Kannst du sie sehn, Bardolph. Das geht nie mehr ab. Ich muß verschwinden.

BARDOLPH Euch fehlt die Guillotine.

MICHAIL Unsre Guillotine hat ein Beil aus Filz: sie macht Wendehälse. Ich bequeme mich nicht der Mechanik. *Zeigt eine Flasche:* Ich vernichte mich hundertprozentig.

BARDOLPH Ich habe zur Geschichte kein so familiäres Verhältnis. Ich bin Privatmann. Ich habe überhaupt keine Familie... Ich kann mein Treiben unter Ulk verbuchen. Die Frauen, auf die ich auflief, waren nicht zu haben, nicht einmal für Geld. Kinder: ja. Zeugen ist die richtige Art zu resignieren. Nicht du warst der neue Mensch. Ich kann meinen Betrieb gar nicht schließen. Eine Fabrik gehört nicht einem Mann. Das ist ein Netz, unzerstörbar. Ich kann die Landkarte nicht zerreißen wie King Lear.

MICHAIL Spreng die Fabrik in die Luft.

BARDOLPH Sie würde davon nicht reiner. Im Stau ist der Aussteiger keine Hoffnung. *Holt Schachteln aus den Taschen:* Ich fresse die Tabletten, die wir produzieren. Es ist Gift.

ASSIA Ich weiß nicht, für wen gekocht ist.

MICHAIL *tonlos:* Ich weiß nicht, für wen wir leben.

BARDOLPH Je länger der Blinde lebt, desto mehr sieht er.

Schweigen.

MICHAIL Wir haben Ball gespielt, aber squash – immer gegen die Wand. Jetzt ist die Wand weg.

Schweigen.

BARDOLPH Für die Welt kann es keine wahre Lösung geben, nur eine wahre Leidenschaft.

Schweigen.

MICHAIL Alles ist vorbei. Alles stimmt nicht. Wir können beginnen.

Schweigen.

BARDOLPH Ihr werdet da ankommen, wo wir

jetzt sind. Das ist das Paradies. Wir sind schon da. Wir sind schon da.

Schweigen.

MICHAIL Wenn man uns nicht direkt umbringt, sterben wir nicht an den Tatsachen. Agota Kristof.

Schweigen.

BARDOLPH Unser Rollenbuch muß von der Geschichte erst geschrieben werden. Kiernan Ryan.

Schweigen.

PAVEL Ihr habt recht, und ich habe nicht recht. Nicht der Mörder, der Ermordete ist schuldig. Euer Pavel.

MICHAIL Böhmen unter Wasser.

Nahe Schüsse. Assia gestikuliert und ruft in einer fremden Sprache. Bardolph und Michail beginnen nun doch zu kosten.

BARDOLPH Wir erwarten von uns nichts, aber von der Natur... Sie soll blühen wachsen schmecken.

MICHAIL Wenn wir uns gleich versöhnten, die Natur bleibt ausgeschlossen.

BARDOLPH Sie ist keine Bühnenfigur. *Er schaut aufs Meer.* Wir müssen einen Geist rufen...

MICHAIL Welchen Geist?

Die Männer lachen.

BARDOLPH Unsern Geist.

Sie stehn sehr müde, fast aneinanderlehnend.

STEHT NICHT LÄNGER TIEFGE-
BEUGT.
Bardolph und Michail singen die Zeile, wie ei-
nen selbstgefundenen Choral. Pavel bleibt ab-
gewandt, geht endlich ab. Schweigen.
MICHAIL Wie wird das wieder sauber?
BARDOLPH Nur durch einen Sturm.
Ein Haufe dunkler Gestalten, dringt selbstherr-
lich in das Gelände, raubt die große Tafel leer,
enteilt geräuschvoll.
Kannibalen.
Robert, Julia. Sie schreit.
ASSIA *triumphierend:* Ein Festmahl.

AFRIKANISCHE MUSIK

Die Julischen Alpen. Ich war, im Traum, vom
Weg abgewichen und sofort, in einem Taumel,
aus der Straße geweht, das Geräusch der Panzer-
ketten erlosch im Dröhnen des Autoverkehrs,
eine fremde große Landschaft, der Luftstrom riß
meine Taschen und Koffer auf und verstreute
meine Sachen, alles was mir gehört hatte, und
auch die Gedanken flogen mir aus dem Kopf und
zerklirrten auf dem Asphalt, es klang wie ein Lachen und ich verzog das Gesicht: es sollte mein
Lachen sein, ich wollte es selber sein, ich war

DRAUSSEN, im FREIEN, wie es hieß (dort, wo ich die Zukunft vermutet hatte), nur war es schwer, die Zukunft zu denken, da ich sie hatte, ich lief, mit sachten Schritten, auf den vereisten Plätzen, ohne schon vorhanden zu sein, ich fürchtete, jetzt zugeben zu müssen, daß ich lebe, ich versuchte, reglos in einem Atemzug auszuharren oder jedenfalls nicht aufzufallen mit meinen ungelenken Bewegungen, mit denen ich Nahrung faßte und mich im Bett umherwarf, und ich stieß doch immerfort an die Wände, an irgendwelche Personen, es war eine Sucht, mich dagegenzuwerfen, sollte ich sagen, daß ich diese Wesen berühren wollte, man würde auf mich zeigen, man würde mich festnehmen, festlegen, ich konnte mich nur so flüchtig zeigen, beschwingt, mit der Leichtigkeit, für die die Gegend konstruiert zu sein schien, und mußte mich nur zusammenhalten, meine Kleider, die sich in den Warmluftschleusen bauschten, die Sohlen auf den Weg konzentrieren, den VORSCHRIFTEN FOLGEN (es gab keine Vorschrift, die mir galt; sinnlose Losungen), und mich sogleich losreißen von den Gesichtern, es mußte schnell jaja oder nein gesagt werden, und ich konnte doch immer erst nach einer Umarmung einen Gedanken fassen, es blieb mir nur, in der Hast, mich selbst zu umarmen und auch das durfte ich nicht merken lassen

– all das, was man sagen möchte und nie sagt, was man empfinden möchte … den Sturm, in der harten Geometrie der Geschichte, die hellen getünchten Schluchten, und ich sah den Fanatismus ihrer Faltungen, die Deckgebirge, Schlacke, eine Gebrauchsanweisung PROSPERITÄT, die Warenhalde vor Milano, in die sich die Lastwagen gruben, ARIEL IN DEN HAUPTWASCHGANG, ah DIE LUFT UND DIE WELT, DIE ICH NICHT SUCHTE, ein Verbrechen, rasch, daß ich ins Nichts falle, ich kannte doch etwas Wildes, Regelloses in meinen Regungen, das keine Form annehmen wollte, eine Freiheit, die aus einer festen Tiefe kam, aus einem Massiv, das ich in mir spürte, ich setzte meine Füße darauf, in der Verwirrung, die mich ruhig machte, es gab keine Lösung für mich, aber die Ungewißheit, wie es ausgehen würde, hatte nichts Lähmendes, das Licht des Tags die zerbrochenen Türen, und das uns nicht Denkbare, das Gefürchtete, wir könnten es leben.

10

Morgengrauen. Julia ruft aus dem Haus: Pavel. Pavel. *Nach und nach laufen alle, im Nachtzeug, zusammen.*

MICHAIL Was ist. Kommt die Sturmflut?

BARDOLPH Von wegen ENTVÖLKERTER PLATZ.

MICHAIL Entgeisterter, Sir. Die Erde, Sir.

ROBERT Hast du die Schüsse gehört.

JULIA Pavel ist nicht heimgekommen.

ASSIA *reißt das Tuch vom Tisch:* Hier ist nichts mehr zu holen.

JULIA Wart ihr mit ihm zusammen.

ROBERT Das Brot haben sie verschmäht. Aber der Kaviar. Arbeitslose.

MICHAIL Ist das Grappa noch. Verzeihen Sie.

JULIA Was habt ihr gesprochen miteinander!

BARDOLPH Wir haben ihm recht gegeben, gewissermaßen.

MICHAIL Er hat die schärferen... Argumente. *Trinkt die Neigen aus.* Wer zu spät kommt, den bestraft das Leben.

Julia läuft auf das Haus zu. Bardolph ihr in den Weg.

BARDOLPH Julia, DU BIST ZAUBERHAFT.

MICHAIL Er hat die schärfere Frau.

BARDOLPH *zärtlich:* Er hat alles. Er hat das Leben... gepackt. Er hat es zu etwas gebracht. Sowie zu dir.

JULIA Dummkopf.

BARDOLPH Ich würde dich in den Finanzadel erheben.

Sie lachen, sich an den Händen fassend. Vaclav,
er ist noch angekleidet.

Du hast einen guten Jungen.

JULIA Nichtwahr. Er ist Pavels ganzer Stolz.

BARDOLPH Brauchst du Geld.

VACLAV Wie spät ist es eigentlich?

JULIA *zu Bardolph:* Komm zur Vernunft.
Streicht Vaclav über den Kopf. Bardolph reißt
Assia das mondäne Kleid kaltblütig am Aus-
schnitt auf.

VACLAV Ein Chaos hier.

BARDOLPH Es gehörte mir *das Kleid* – ihr.

MICHAIL Nehmt doch Platz. Die Sonne geht auf.
Ich serviere ein Morgengrauen.

ROBERT Ein Grauen.

JULIA Ja, er hat recht. Genießen wir das Schau-
spiel.
Sie sitzen alle an dem leeren Tisch. Raja: sie ist
offensichtlich wieder ins Meer gegangen, das
Kleid und die Haare triefen grün.

ZU EINEM ENDLOSEN VERGNÜGEN
HAT DAS ASHRAM-CENTER IN DER IN-
DISCHEN STADT POONA EINGELADEN,
UM DIE ZEIT BIS ZUM AUSBRUCH DES
GOLFKRIEGS ZU NUTZEN. DER ARZT
DR. AMRITO VERHIESS PER TELEX
EIN »FEST DES FICKENS UND DES

LACHENS«, OHNE DIE ÜBLICHE AUF-
LAGE NEGATIVER AIDSTESTS ZU MA-
CHEN. »MAN HÄLT UNS FÜR VER-
RÜCKT, ABER NICHT WIE DIE WELT
SIND WIR.«

Robert sieht entsetzt Raja.
MICHAIL Der Witz des Jahrhunderts:
Stille.
der Sozialismus.
Lachen.
Aber, aber der Aberwitz:
*Stille. Julia streckt sich unter Michails und Bar-
dolphs Blicken.*
JULIA Habt ihr euch sattgesehn. An der Natur. –
Wer sind Sie.
Ein fremder dunkler Mann sitzt mit am Tisch.
DER FREMDE Pavels Freund.
JULIA *nach einer Weile, sehr weich:* Ich kenne Sie
nicht.
DER FREMDE Oh.
JULIA Sein Freund?
Der Fremde lächelt mild.
Weiß er, daß du kommst?
DER FREMDE Das geht in Ordnung.
JULIA Was wollen Sie! *Sie umarmt ihn entnervt.*
ASSIA Ein Fest des Fickens und Lachens.
BARDOLPH Wir sind bereits eine utopische

Mischpoke. Drei Farbige, Michail ein halber Asiat, und die Damen sind rot geworden. Nur Pavel ... ist ein wenig blaß.

Drei Italiener, bringen Pavels Leichnam. Das Flittchen.

JULIA Ist es Pavel!

RAJA Was ist passiert.

JULIA *schreit:* Natürlich ist es Pavel!

Der Leichnam wird auf die Erde gelegt.

ROBERT *schreit:* Sag etwas, Pavel!

Die Italiener drehen ihn hin und her: so tot ist er.

DAS FLITTCHEN *fröstelnd:* Ich hab ihn, glaub ich, gesehn. Wie er mit der Bande, glaub ich, auf den Platz lief. Sie hatten Gewehre.

BARDOLPH Wer lief. Was für Bande.

MICHAIL Wer ist sie.

VACLAV *lacht auf:* Er wollte sie nicht wiedersehn. Perfid.

ASSIA Er hat geschossen. Er hat auf die Schwarzen geschossen.

DAS FLITTCHEN Ich glaub, er lief hinein, mittenhinein. Er lief hinein.

JULIA Was glaubst du –.

BARDOLPH *schreit:* Was will sie sagen!

Robert läuft zu Raja, und an ihr vorbei. Vaclav und das Flittchen halten sich am Finger.

ROBERT Er hat sich erschossen.

ASSIA Er hat auf sie geschossen.

MICHAIL Er ist... Tatsache ist – Die Tatsache –

JULIA *ganz ruhig:* Er hatte nichts. Er hatte nichts. Er wollte nicht recht haben.

Sie lächelt. Bardolph und Michail starren sie an. Dann schlagen sie sich erbarmungslos. Die Italiener sehen gehetzt zu. Robert und Raja umarmen sich heftig, lassen sich sofort wieder los. Bardolph und Michail stehen zuletzt erschöpft schwankend. Vaclav legt den Arm um Bardolph. Raja wischt Michail das Blut aus dem Gesicht. Jetzt erst nimmt man Raja wahr. Der Fremde, der als einziger wie unbeteiligt am Tisch verharrte, erhebt sich und will gehn, sackt aber wieder auf den Stuhl. Ein Tosen.

ROBERT *zu Raja:* Es war zu dreckig zum Sterben, im Meer.

RAJA Ich bleibe am Meer.

MICHAIL Ja, Raja. Ja, Robert. Selbstverständlich.

BARDOLPH Ich bleibe keinen Tag. *Zu Vaclav:* Du kommst mit mir.

DER FREMDE In Ordnung.

JULIA Mein Vaclav.

ASSIA Die Flut.

VACLAV Steil.

Die Sturmflut tritt auf.